C000269568

L'auteur
Dominique de Saint Mars

Après des études de sociologie,
elle a été journaliste à *Astrapi*.
Elle écrit des histoires
qui donnent la parole aux enfants
et traduisent leurs émotions.
Elle dit en souriant qu'elle a interviewé
au moins 100 000 enfants...
Ses deux fils, Arthur et Henri,
ont été ses premiers inspirateurs !
Prix de la Fondation pour l'Enfance.
Auteur de *On va avoir un bébé*,
Je grandis, *Les Filles et les Garçons*,
Léon a deux maisons et
Alice et Paul, copains d'école.

L'illustrateur
Serge Bloch

Cet observateur plein d'humour
et de tendresse est aussi un maître
de la mise en scène.
Tout en distillant son humour généreux
à longueur de cases, il aime faire sentir
la profondeur des sentiments.

Lili veut
de l'argent de poche

Collection dirigée par Dominique de Saint Mars

© Calligram 1996
Tous droits réservés pour tous pays
Imprimé en Italie
ISBN : 978-2-88445-325-7

Ainsi va la vie

Lili veut
de l'argent de poche

Dominique de Saint Mars

Serge Bloch

CALLIGRAM
CHRISTIAN GALLIMARD

BLAM!

Lili ?

Que se passe-t-il ?

C'est vraiment pas juste, j'en ai marre !

Valentine et Clara se sont encore acheté des crocodiles et, moi, je n'avais pas d'argent.

Et alors ?

Alors, elles n'ont pas voulu partager. Elles disent que je n'ai jamais d'argent et que je leur en dois.

Mais... je t'en ai donné il n'y a pas longtemps.

Tu dis toujours ça.

L'autre jour à la brocante, tu t'es acheté une dizaine de babioles.

Mais je ne veux plus de petits cadeaux ! Je voudrais de l'argent de poche, régulièrement comme mes copines !

C'est ça... de l'argent de poche régulièrement, pour ruiner la famille ! Poche percée, oui !

Oh ! Toi, le petit chouchou... Tu ferais mieux de la boucler.

Oh, cool !

Je disais cela uniquement dans l'intérêt de la famille.

GRRR !

Fais une boutique comme moi... Mon argent je le gagne !

Tu parles ! Pour vendre des coquillages minables !

Mais arrête Lili ! Je te rappelle que le tee-shirt que tu as acheté n'est pas une affaire.

Tu protèges encore Max ! D'abord, mon tee-shirt, c'est moi qui le mets.

Oh, là, là ! ça chauffe, ici !

C'est maman qui ne veut pas croire que j'ai moins d'argent que les autres.

Même pas vrai, elle n'arrête pas de se faire des cadeaux !

Tout ce que je demande, c'est de ne pas avoir à demander.

Par exemple... vous me donnez 10 francs par semaine et on n'en parle plus !

On parie que tu en redemandes dans trois jours !

Moi, je veux bien, mais il faudra le gérer ton argent.

Et tu n'es peut-être pas assez grande...

Même loin d'être assez grande... Mais ça veut dire quoi gérer ?

Ça veut dire prévoir ce qu'il te restera à la fin de la semaine, ne pas dépenser plus que tu n'as.

C'est parce que je n'ai pas d'argent que je ne sais pas le gérer...

Ça m'apprendrait à compter... Bon, je vais chez Clara.

15

Bonjour madame Martineau, je viens sortir Médor.

Ah !

Il a tout fait ? Je te remercie, à demain !

CLAC !

?!

Maman, je continue de ranger la cave.

Si tu vas chez Zoé, rappelle-lui qu'elle me doit 15,50 francs.

UN PEU PLUS TARD CHEZ ZOÉ...

Et dire que Clara, elle ne s'achète rien avec tout ce qu'elle gagne !

Elle fait des provisions comme un écureuil !

19

Oh, pour quoi faire ?
Il y a toujours
quelqu'un pour me
donner des bonbons.
Suffit de savoir
demander !

Et surtout de
savoir attendre !

En tout cas,
moi, j'y vais !

21

T'as été piquée par une bête furieuse ?

Pas du tout... Lili a simplement décidé de demander un salaire, puisqu'on ne veut pas lui donner d'argent !

Mais un salaire pour quoi faire ?

Pour ranger ma chambre, faire mon lit, débarrasser la table...

Oh, mais c'est normal que chacun fasse quelque chose dans la maison !

Et si je lave la voiture... dedans et ... dehors ?

Pauvre voiture !

Bonne idée !
Au lieu de payer le garage, je préfère te payer toi... pour le même travail !

Et je pourrais le faire pour les voisins ?

Regarde, d'abord bien mouiller et puis frotter doucement pour ne pas rayer.

C'est dégoûtant, vous, les parents, vous pouvez vous acheter tout ce que vous voulez...

Tu crois ça ? Notre argent, on le gagne en travaillant, et souvent on n'en a pas assez...

Alors, vous allez à la banque en chercher !

Max, ne viens pas essayer de me piquer mon travail !

Mais moi aussi j'ai besoin d'argent, je voudrais la maison hantée avec le squelette !

Pouhhh...! J'ai fini.

Mais c'est quoi tout ?

La nourriture, le loyer, la voiture, les vêtements... et le reste !

Mais vous ne gagnez pas assez, maman et toi ?

C'est tout juste ! Parfois, on a plus à payer que ce qu'on a...

Et alors ?

Alors on demande à la banque de nous prêter de l'argent.

Tiens, Lili voilà 20 francs pour ton travail.

Mon premier salaire...

... et 10 francs en plus, pour commencer ton argent de poche par semaine.

C'est beaucoup en une seule fois, non ? Et on aurait pu décider ensemble !

31

Quel bonheur de te voir !

Tiens Mamipa, je sais que tu aimes ça ! On a les mêmes goûts.

Un mille-feuilles ! C'est merveilleux ! Mais je ne veux pas que tu me fasses des cadeaux !

C'est super de faire des cadeaux avec son argent !

35

Hé, Valentine !

Ça va Lili ?

Oh ! Je suis crevée. Tous ces placards qu'on a rangés, avec ma grand-mère !

20 francs seulement ? Moi, je ne travaillerais pas pour ce prix-là !

Toi, de toute façon, tes parents te donnent tout l'argent que tu veux !

Si on s'achetait des chouchous, un pour chacune ?

CHEZ LILI

Ah zut, plus de pain, plus de lait pour demain matin !

J'aurais peut-être une pièce pour m'acheter un crocodile.

Je peux aller en chercher ?

Oui, mais demande de l'argent à ton père. Je n'en ai pas.

Ecoute, c'est très embêtant, je n'ai plus un sou.

Plus rien du tout ?

38

Et toi...
Est-ce qu'il t'est arrivé la même histoire qu'à Lili ?

Est-ce que ça te fait plaisir ? Te sens-tu plus grand
ou plus responsable ? En fais-tu ce que tu veux ?

Dépenses-tu vite ou économises-tu ? As-tu fait des
erreurs ? Est-ce que ça t'a appris à gérer ton argent ?

En famille, parlez-vous du prix des choses, du nombre
d'heures de travail qu'il faut pour acheter un vélo ?

Fais-tu plus attention à quelque chose que tu as acheté
avec ton argent ?

Es-tu inquiet à l'idée
que tes parents n'aient plus d'argent ?

As-tu déjà perdu ton porte-monnaie ?
T'a-t'on volé de l'argent ? As-tu eu envie d'en voler ?

Préfèrerais-tu en avoir ? Pour décider de ce que
tu achètes ou faire des économies ? Des cadeaux ?

Est-ce que tes parents ne veulent pas ou ne peuvent pas
t'en donner car ils n'en ont pas assez en ce moment ?

As-tu des amis qui ont plus... ou moins... d'argent
que toi ? Est-ce dur de ne pas être comme les autres ?

Essaies-tu d'en gagner ? As-tu eu envie d'en voler ?
Fais-tu des échanges ?

Est-ce dur pour toi de ne pas obtenir ce que tu veux ?
ou agréable d'attendre ce dont tu as envie ?

Trouves-tu normal d'être payé pour un travail, mais
de pouvoir aussi rendre des services désintéressés ?

**Après avoir réfléchi
à ces questions
sur l'argent de poche,
tu peux en parler
avec tes parents ou tes amis.**